背番号順に選手を覚えよう！

選手

カープのチーム全員が、背番号順に並んでいるよ。
名前と背番号とポジションを全部覚えて応援しよう！

堅実な守備力、目指せ！「ポスト菊池」

00 内野手

曽根　海成（そね　かいせい）

投　打	右投左打
生年月日	1995年4月24日
出身校	京都国際高
出身地	大阪府

走って守れるカープのムードメーカー

0 内野手

上本　崇司（うえもと　たかし）

投　打	右投右左打
生年月日	1990年8月22日
出身校	明治大
出身地	広島県

トリプルスリーに近い日本の4番バッター

1 外野手

鈴木　誠也（すずき　せいや）

投　打	右投右打
生年月日	1994年8月18日
出身校	二松学舎大附高
出身地	東京都

復活を目指すリーグトップレベルの遊撃手

2 内野手

田中　広輔（たなか　こうすけ）

投　打	右投左打
生年月日	1989年7月3日
出身校	東海大
出身地	神奈川県

チームをまとめる統率力抜群のベテラン選手

4 内野手

小窪　哲也（こくぼ　てつや）

投　打	右投右打
生年月日	1985年4月12日
出身校	青山学院大
出身地	奈良県

ベテランの実力発揮！　頼れる外野手

5 外野手

長野　久義（ちょうの　ひさよし）

投　打	右投右打
生年月日	1984年12月6日
出身校	日本大
出身地	佐賀県

俊足とパンチ力でキャリアハイを目指す

6 内野手

安部　友裕（あべ　ともひろ）

投　打	右投左打
生年月日	1989年6月24日
出身校	福岡工大附城東高
出身地	福岡県

プロ11年目、勝負の年。男を見せろ！

7 内野手

堂林　翔太（どうばやし　しょうた）

投　打	右投右打
生年月日	1991年8月17日
出身校	中京大中京高
出身地	愛知県

マイナーリーグで通算1000安打以上を記録

10 外野手

J. ピレラ

投　打	右投右打
生年月日	1989年11月21日
出身校	マヌエル・セグンド・サンチェス・マノ高
出身地	ベネズエラ

リーグ優勝奪還には、彼の好投が欠かせない

12 投手

九里　亜蓮（くり　あれん）

投　打	右投右打
生年月日	1991年9月1日
出身校	亜細亜大
出身地	鳥取県

気迫を前面に出し、実力を開花させろ！

13 投手

矢崎　拓也（やさき　たくや）

投　打	右投右打
生年月日	1994年12月31日
出身校	慶應義塾大
出身地	東京都

Carp

カープのエースとして日本一に導く

14 投手

大瀬良 大地（おおせら だいち）

投　打	右投右打
生年月日	1991年6月17日
出身校	九州共立大
出身地	長崎県

ポーカーフェイスで投げ抜く中継ぎの柱

16 投手

今村 猛（いまむら たける）

投　打	右投右打
生年月日	1991年4月17日
出身校	清峰高
出身地	長崎県

眠っている宇宙人の能力を見せてくれ

17 投手

岡田 明丈（おかだ あきたけ）

投　打	右投左打
生年月日	1993年10月18日
出身校	大阪商業大
出身地	東京都

2019年ドラフト1位　将来のエース候補

18 投手

森下 暢仁（もりした まさと）

投　打	右投右打
生年月日	1997年8月25日
出身校	明治大
出身地	大分県

今季は右の主軸として復活。投手の要

19 投手

野村 祐輔（のむら ゆうすけ）

投　打	右投右打
生年月日	1989年6月24日
出身校	明治大
出身地	岡山県

カープの守護神、その意地を見せろ！

21 投手

中﨑 翔太（なかざき しょうた）

投　打	右投右打
生年月日	1992年8月10日
出身校	日南学園高
出身地	鹿児島県

レベルの高い捕手能力と打撃も期待大

22 捕手

中村 奨成（なかむら しょうせい）

投　打	右投右打
生年月日	1999年6月6日
出身校	広陵高
出身地	広島県

実力は十分、2017年の15勝を思い出せ！

23 投手

薮田 和樹（やぶた かずき）

投　打	右投右打
生年月日	1992年8月7日
出身校	亜細亜大
出身地	広島県

あのピンチに強い投手に戻ってくれ！

26 投手

中田 廉（なかた れん）

投　打	右投右打
生年月日	1990年7月21日
出身校	広陵高
出身地	大阪府

チャンスに強い、本塁打を打てる捕手

27 捕手

會澤 翼（あいざわ つばさ）

投　打	右投右打
生年月日	1988年4月13日
出身校	水戸短大附高
出身地	茨城県

先発の一角を担ってほしい若き左腕

28 投手

床田 寛樹（とこだ ひろき）

投　打	左投左打
生年月日	1995年3月1日
出身校	中部学院大
出身地	兵庫県

今季は活躍の年。優勝に貢献してほしい投手

29 投手

ケムナ 誠（まこと）

投　打	右投右打
生年月日	1995年6月5日
出身校	日本文理大
出身地	アメリカ

日本一には欠かせない不動のセットアッパー

30 投手
いちおか　りゅうじ
一岡　竜司

投　打	右投右打
生年月日	1991年1月11日
出身校	コンピュータ教育学院
出身地	福岡県

ベテラン左腕とコンビを組んでゲームを支配

31 捕手
いしはら　よしゆき
石原　慶幸

投　打	右投右打
生年月日	1979年9月7日
出身校	東北福祉大
出身地	岐阜県

虎視眈々と一軍入りを狙う強肩捕手

32 捕手
しらはま　ゆうた
白濱　裕太

投　打	右投右打
生年月日	1985年10月31日
出身校	広陵高
出身地	大阪府

日本一の守備職人がチームを引っ張る

33 内野手
きくち　りょうすけ
菊池　涼介

投　打	右投右打
生年月日	1990年3月11日
出身校	中京学院大
出身地	東京都

実力は折り紙付き！　カットボールが武器

34 投手
たかはし　こうや
高橋　昂也

投　打	左投左打
生年月日	1998年9月27日
出身校	花咲徳栄高
出身地	埼玉県

守備だけではない、今季は打撃にも注目

35 内野手
みよし　たくみ
三好　匠

投　打	右投右打
生年月日	1993年6月7日
出身校	九州国際大付
出身地	福岡県

今年こそプロ初勝利を実現したい！

36 投手
ほりえ　あつや
塹江　敦哉

投　打	左投左打
生年月日	1997年2月21日
出身校	高松北高
出身地	香川県

レギュラーを獲得し、優勝に貢献してくれ

37 外野手
のま　たかよし
野間　峻祥

投　打	右投左打
生年月日	1993年1月28日
出身校	中部学院大
出身地	兵庫県

三拍子揃った潜在能力の高いドラフト2位

38 外野手
うぐさ　こうき
宇草　孔基

投　打	右投左打
生年月日	1997年4月17日
出身校	法政大
出身地	東京都

今季もチームの中継ぎを支える凄い投手

39 投手
きくち　やすのり
菊池　保則

投　打	右投左打
生年月日	1989年9月18日
出身校	常磐大高
出身地	茨城県

気迫の打撃でチャンスをものにする勝負強さ

40 捕手
いそむら　よしたか
磯村　嘉孝

投　打	右投右打
生年月日	1992年11月1日
出身校	中京大中京高
出身地	愛知県

今年こそは先発ローテーションに！

41 投手
ふじい　こうや
藤井　皓哉

投　打	右投左打
生年月日	1996年7月29日
出身校	おかやま山陽高
出身地	岡山県

今季、最多勝を目指せ！実力派左のエース

42 投手
K. ジョンソン

投　打	左投左打
生年月日	1984年10月14日
出身校	ウィチタ州立大
出身地	アメリカ

ルーキーイヤー以上の活躍が期待される

43 投手
島内　颯太郎

投　打	右投右打
生年月日	1996年10月14日
出身校	九州共立大
出身地	福岡県

将来のクリーンアップ候補。パンチ力が魅力

44 内野手
林　晃汰

投　打	右投左打
生年月日	2000年11月16日
出身校	智辯和歌山高
出身地	和歌山県

高い守備力でショートを狙う

45 内野手
桒原　樹

投　打	右投左打
生年月日	1996年7月4日
出身校	常葉学園菊川高
出身地	静岡県

緩急を使ったピッチングが最大の武器

46 投手
高橋　樹也

投　打	左投左打
生年月日	1997年6月21日
出身校	花巻東高
出身地	岩手県

新人王獲得を目指す甘いマスクの右腕

47 投手
山口　翔

投　打	右投右打
生年月日	1999年4月28日
出身校	熊本工業高
出身地	熊本県

プロ4年目、速球で打者を翻弄

48 投手
アドゥワ　誠

投　打	右投右打
生年月日	1998年10月2日
出身校	松山聖陵高
出身地	熊本県

パンチ力が魅力の長距離バッター

49 外野手
正隨　優弥

投　打	右投右打
生年月日	1996年4月2日
出身校	亜細亜大
出身地	広島県

昨年は初本塁打を記録したパワーヒッター

50 外野手
髙橋　大樹

投　打	右投右打
生年月日	1994年5月11日
出身校	龍谷大付平安高
出身地	大阪府

今季レギュラー獲得を誓う、新世代の筆頭

51 内野手
小園　海斗

投　打	右投左打
生年月日	2000年6月7日
出身校	報徳学園高
出身地	兵庫県

スライダーが武器の右腕。2019年ドラ3位

52 投手
鈴木　寛人

投　打	右投右打
生年月日	2001年10月7日
出身校	霞ヶ浦高
出身地	茨城県

優勝するには彼の力が欠かせない注目左腕

53 投手
戸田　隆矢

投　打	左投左打
生年月日	1993年6月10日
出身校	樟南高
出身地	兵庫県

センス抜群のアベレージヒッター

54 内野手

韮澤 雄也（にらさわ ゆうや）

投　　打	右投左打
生年月日	2001年5月20日
出身校	花咲徳栄高
出身地	新潟県

クリーンアップで30本塁打以上を目指せ！

55 外野手

松山 竜平（まつやま りゅうへい）

投　　打	右投左打
生年月日	1985年9月18日
出身校	九州国際大
出身地	鹿児島県

俊足、強肩！　守備力強化で目指せ一軍

56 内野手

中神 拓都（なかがみ たくと）

投　　打	右投右打
生年月日	2000年5月29日
出身校	市立岐阜商高
出身地	岐阜県

バッティングセンスもある期待の右腕

57 投手

田中 法彦（たなか のりひこ）

投　　打	右投右打
生年月日	2000年10月19日
出身校	菰野高
出身地	三重県

MAX154キロのストレートが最大の武器

58 投手

DJ ジョンソン

投　　打	右投左打
生年月日	1989年8月30日
出身校	西オレゴン大
出身地	アメリカ

育成から支配化登録選手に昇格した外野手

59 外野手

大盛 穂（おおもり みのる）

投　　打	右投左打
生年月日	1996年8月31日
出身校	静岡産大
出身地	大阪府

昨年は2軍で活躍、今季一軍で大暴れしたい

60 外野手

永井 敦士（ながい あつし）

投　　打	右投右打
生年月日	2000年1月10日
出身校	二松学舎大附高
出身地	埼玉県

一軍定着を目指す若き天才バッター

61 捕手

坂倉 将吾（さかくら しょうご）

投　　打	右投左打
生年月日	1998年5月29日
出身校	日大三高
出身地	千葉県

小柄ながら強肩の捕手。ドラフト5位

62 捕手

石原 貴規（いしはら ともき）

投　　打	右投右打
生年月日	1998年2月3日
出身校	天理大
出身地	兵庫県

打率3割、本塁打20本を実現してほしい

63 内野手

西川 龍馬（にしかわ りょうま）

投　　打	右投左打
生年月日	1994年12月10日
出身校	敦賀気比高
出身地	大阪府

150キロを超えるストレートでフル回転！

64 投手

中村 恭平（なかむら きょうへい）

投　　打	左投左打
生年月日	1989年3月22日
出身校	富士大
出身地	福岡県

三振が獲れる高卒ルーキー。ドラフト6位

65 投手

玉村 昇悟（たまむら しょうご）

投　　打	左投左打
生年月日	2001年4月16日
出身校	丹生高
出身地	福井県

速いストレートとチェンジアップが武器

66 投手
えんどう あつし
遠藤　淳志

投　打	右投右打
生年月日	1999年4月8日
出身校	霞ヶ浦高
出身地	茨城県

2018年の開幕3連勝の勢いをとり戻せ！

67 投手
なかむら ゆうた
中村　祐太

投　打	右投右打
生年月日	1995年8月31日
出身校	関東第一高
出身地	東京都

150キロ超えのストレートで一軍を狙う

68 投手
ひらおか たかと
平岡　敬人

投　打	右投右打
生年月日	1995年8月6日
出身校	中部学院大
出身地	兵庫県

センスある全力プレーでファンを集める

69 内野手
はつき りゅうたろう
羽月　隆太郎

投　打	右投左打
生年月日	2000年4月19日
出身校	神村学園高
出身地	宮崎県

日本球界初の南アフリカ共和国出身選手

70 投手
T. スコット

投　打	右投右打
生年月日	1992年6月1日
出身校	ノーター・デイム高
出身地	南アフリカ共和国

30本塁打以上を公言したパワーヒッター

96 内野手
A. メヒア

投　打	右投右打
生年月日	1993年3月10日
出身校	サンファンバウティスタデラサジェ中高
出身地	ドミニカ共和国

リリーフの要！　豪速球が武器の驚異の左腕

97 投手
G. フランスア

投　打	左投左打
生年月日	1993年9月25日
出身校	セナペック高
出身地	ドミニカ共和国

育成選手枠から一軍で登板するまでに急成長

98 投手
E. モンティージャ

投　打	左投左打
生年月日	1995年10月2日
出身校	ウルピーナ・ゴンザレス高
出身地	ドミニカ共和国

多彩な変化球を器用に操る育成ドラフト3位

120 投手
うね たかまさ
畝　章真

投　打	右投右打
生年月日	1995年9月9日
出身校	名古屋商科大
出身地	広島県

何が何でも、今年こそ支配下登録選手に！

121 投手
ふじい れいら
藤井　黎來

投　打	右投右打
生年月日	1999年9月17日
出身校	大曲工高
出身地	秋田県

長身から投げ下ろすストレートで開花したい

122 投手
ささき けん
佐々木　健

投　打	右投右打
生年月日	1999年4月2日
出身校	小笠高
出身地	静岡県

強肩で強打が魅力の育成ドラフト1位

123 捕手
もちまる たいき
持丸　泰輝

投　打	右投左打
生年月日	2001年10月26日
出身校	旭川大高
出身地	北海道

甲子園で打率5割以上！ 育成ドラフト2位

124 外野手

木下 元秀
きのした もとひで

投 打	左投左打
生年月日	2001年7月25日
出身校	敦賀気比高
出身地	大阪府

驚きの球威でバッターと真っ向勝負

144 投手

A. メナ

投 打	右投右打
生年月日	1993年12月6日
出身校	アベック高
出身地	ドミニカ共和国

背番号順に覚えよう！

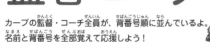

監督・コーチ
かんとく

カープの監督・コーチ全員が、背番号順に並んでいるよ。
名前と背番号を全部覚えて応援しよう！

昨年の雪辱を果たし日本一を誓う新監督

88 一軍監督

佐々岡 真司
ささおか しんじ

投 打	右投右打
生年月日	1967年8月26日
出身校	浜田商高
出身地	島根県

三連覇を支えた彼が日本一を実現させる

71 一軍ヘッドコーチ

高 信二
こう しんじ

投 打	右投右打
生年月日	1967年4月16日
出身校	東筑高
出身地	福岡県

チャンスに強いバッターを育成する職人

72 二軍打撃コーチ

東出 輝裕
ひがしで あきひろ

投 打	右投左打
生年月日	1980年8月21日
出身校	敦賀気比高
出身地	福井県

ケガからの回復や不調の選手を蘇らせる

73 三軍投手コーチ強化担当

小林 幹英
こばやし かんえい

投 打	右投右打
生年月日	1974年1月29日
出身校	専修大
出身地	新潟県

投手王国カープ復活を実現させるために就任

74 二軍投手コーチ

永川 勝浩
ながかわ かつひろ

投 打	右投右打
生年月日	1980年12月14日
出身校	亜細亜大
出身地	広島県

チーム内競争で勝った選手をサポートする

75 一軍外野守備・走塁コーチ

廣瀬 純
ひろせ じゅん

投 打	右投右打
生年月日	1979年3月29日
出身校	法政大
出身地	大分県

リーグNo.1のチーム防御率を目指して尽力

76 一軍バッテリーコーチ

倉 義和
くら よしかず

投 打	右投右打
生年月日	1975年7月27日
出身校	京都産業大
出身地	京都府

強いチームの土台づくりを担う重要な役割

78 三軍統括コーチ

畝 龍実
うね たつみ

投 打	左投左打
生年月日	1964年6月21日
出身校	専修大
出身地	広島県

守って、走るカープの伝統野球を生かす

80 一軍内野守備・走塁コーチ

山田 和利
やまだ かずとし

投 打	右投右打
生年月日	1965年6月3日
出身校	東邦高
出身地	愛知県

リーグ優勝・日本一に向けて球団に呼ばれた

82 一軍投手コーチ
横山 竜士（よこやま りゅうじ）

投　打	右投右打
生 年 月 日	1976年6月11日
出 身 校	福井商高
出 身 地	福井県

コーチ歴15年の経験でカープ打線を作る

83 一軍打撃コーチ
朝山 東洋（あさやま とうよう）

投　打	右投右打
生 年 月 日	1976年7月29日
出 身 校	久留米商高
出 身 地	福岡県

才能豊かな投手や捕手を開花させる

84 二軍バッテリーコーチ
植田 幸弘（うえだ ゆきひろ）

投　打	右投右打
生 年 月 日	1964年7月27日
出 身 校	南部高
出 身 地	和歌山県

1軍に勝てる投手を送るためのキーパーソン

86 二軍投手コーチ
菊地原 毅（きくちはら つよし）

投　打	左投左打
生 年 月 日	1975年3月7日
出 身 校	相武台高
出 身 地	神奈川県

自身の経験から1軍投手をアシストする

87 一軍投手コーチ
澤﨑 俊和（さわざき としかず）

投　打	右投右打
生 年 月 日	1974年9月21日
出 身 校	青山学院大
出 身 地	千葉県

最強のチームづくりは2軍から始まる

89 二軍監督
水本 勝己（みずもと かつみ）

投　打	右投右打
生 年 月 日	1968年10月1日
出 身 校	倉敷工高
出 身 地	岡山県

カープの守り抜く姿勢や技術を伝授する

90 二軍内野守備・走塁コーチ
玉木 朋孝（たまき ともたか）

投　打	右投右打
生 年 月 日	1975年6月13日
出 身 校	修徳学園高
出 身 地	東京都

三連覇の打線をサポートした敏腕コーチ

91 一軍打撃コーチ
迎 祐一郎（むかえ ゆういちろう）

投　打	右投右打
生 年 月 日	1981年12月22日
出 身 校	伊万里商高
出 身 地	佐賀県

若手選手や育成選手の成長を間近で見守る

92 二軍打撃コーチ
森笠 繁（もりかさ しげる）

投　打	右投左打
生 年 月 日	1976年10月4日
出 身 校	関東学院大
出 身 地	神奈川県

不屈の精神で優れた外野手を育成する

93 二軍外野守備・走塁コーチ
赤松 真人（あかまつ まさと）

投　打	右投右打
生 年 月 日	1982年9月6日
出 身 校	立命館大
出 身 地	京都府

チームとファンをつなぐマスコット

！ マスコット
スラィリー

趣味・特技	いたずら・ダンス
生 年 月 日	1995年7月29日
出現エリア	マツダ スタジアム周辺
出 身 地	？

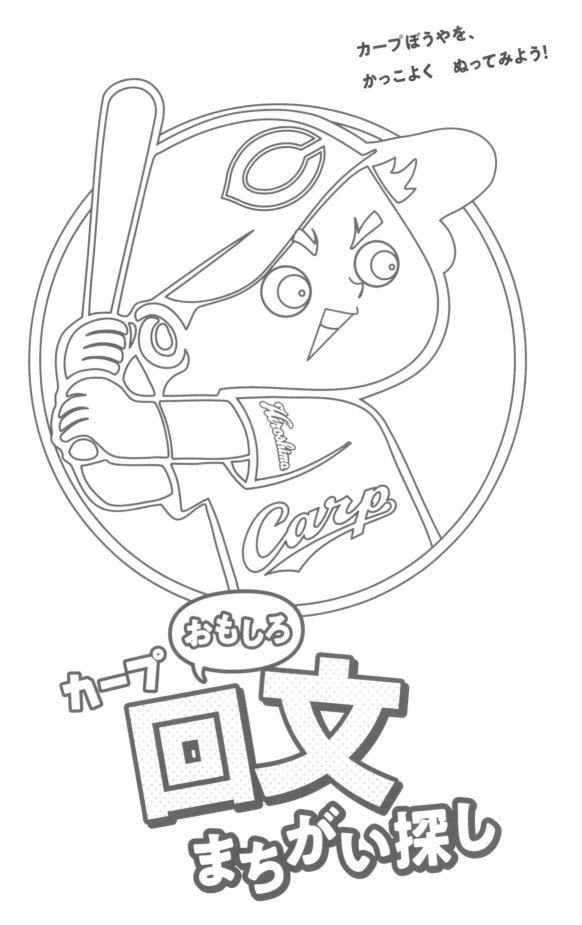

まちがい探し

7個のまちがいがあります。

ピンチヒッター交替

代打の代打

下の絵には7つのまちがいがあります。まちがい箇所を全て見つけましょう!

目標時間	8分	見つけた数	個

★上のイラストを憶えて、次ページ下のクイズに答えてね。

【イラスト丸覚えクイズに挑戦!】
それぞれのページに2枚並ぶイラストのうち、上側または左側のイラストを覚えて、
次のページの下にある2つの質問に答えよう!

相手チームの投手　ホームランを打たれて

私、負けましたわ

下の絵には7つのまちがいがあります。まちがい箇所を全て見つけましょう！

| 目標時間 | 5分 | 見つけた数 | 個 |

★上のイラストを憶えて、次ページ下のクイズに答えてね。

【 イラスト丸覚えクイズ① 】 前ページで記憶したイラストの質問です。

①ヒゲのある選手は何人いましたか？　こたえ

②バットを持っている選手は何人いましたか？　こたえ

こたえは次のページの下にあるよ！

キャッチャーの股間にボール

痛い、球が股！痛い

下の絵には7つのまちがいがあります。まちがい箇所を全て見つけましょう！

目標時間	5分	見つけた数	個

★左のイラストを憶えて、次ページ下のクイズに答えてね。

【 イラスト丸覚えクイズ② 】 前ページで記憶したイラストの質問です。

① 負けたチームのスコアボードは何色でしたか？　こたえ

② ペットボトルを持っている選手は何人いましたか？　こたえ

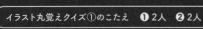
イラスト丸覚えクイズ①のこたえ　①2人　②2人

相手チームに叩きのめされて
最下位さ
（さいかいさ）

下の絵には7つのまちがいがあります。まちがい箇所を全て見つけましょう！

目標時間	5分	見つけた数	個

★左のイラストを憶えて、次ページ下のクイズに答えてね。

【 イラスト丸覚えクイズ③ 】 前ページで記憶したイラストの質問です。

1 お客さんが持っている応援バットは何色でしたか？　［こたえ　　　　　］

2 応援しているお客さんは何人いましたか？　［こたえ　　　　　］

イラスト丸覚えクイズ②のこたえ　❶青色　❷2人

安部選手　美肌中
安部にニベア
下の絵には7つのまちがいがあります。まちがい箇所を全て見つけましょう！

目標時間	5分	見つけた数	個

★上のイラストを憶えて、次ページ下のクイズに答えてね。

【 イラスト丸覚えクイズ④ 】 前ページで記憶したイラストの質問です。

①ボールは何個ありましたか？　こたえ

②上から2番目のチームの柄は星？ それともつばめ？　こたえ

イラスト丸覚えクイズ③のこたえ ❶青色 ❷5人

悪魔がいるベースの上に野間選手

魔の塁にいる野間

下の絵には7つのまちがいがあります。まちがい箇所を全て見つけましょう！

目標時間	3分	見つけた数	個

★左のイラストを憶えて、次ページ下のクイズに答えてね。

【 イラスト丸覚えクイズ⑤ 】 前ページで記憶したイラストの質問です。

⑴ スマホケースは何色でしたか？　　こたえ

⑵ 花は何色でしたか？　　こたえ

イラスト丸覚えクイズ④のこたえ　❶5個　❷星

まちがい探し

7個のまちがいがあります。

大きな顔の松山選手が一岡投手を見て

いーさ、一岡の顔、小さい

下の絵には7つのまちがいがあります。まちがい箇所を全て見つけましょう！

目標時間	3分	見つけた数	個

★上のイラストを憶えて、次ページ下のクイズに答えてね。

【 イラスト丸覚えクイズ⑥ 】 前ページで記憶したイラストの質問です。

① 悪魔の歯は何本ありましたか？　　こたえ

② ベースの上にいる選手のポーズは？　こたえ

イラスト丸覚えクイズ⑤のこたえ　❶茶色　❷水色

野村投手　デッドボールを受けるが・・・

「足しにしな!」野村、恨むのなしにした

下の絵には7つのまちがいがあります。まちがい箇所を全て見つけましょう!

| 目標時間 | 8分 | 見つけた数 | 個 |

★上のイラストを憶えて、次ページ下のクイズに答えてね。

【 イラスト丸覚えクイズ⑦ 】前ページで記憶したイラストの質問です。

①メガネは何色でしたか?　　こたえ

②マスクの色はオレンジ? それとも赤?　　こたえ

イラスト丸覚えクイズ⑥のこたえ　❶4本　❷直立（気をつけ）

サードを守る菊池涼介選手

サードでどーさ

下の絵には7つのまちがいがあります。まちがい箇所を全て見つけましょう！

目標時間	3分	見つけた数	個

★上のイラストを憶えて、次ページ下のクイズに答えてね。

【 イラスト丸覚えクイズ⑧ 】 前ページで記憶したイラストの質問です。

①1 どこにボールが当たっていましたか？　　こたえ

②2 ピンクの応援バットを持っていたのは男の子？ 女の子？　　こたえ

イラスト丸覚えクイズ⑦のこたえ　❶水色　❷オレンジ

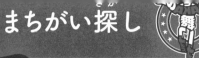

ケムナ選手　ハワイに帰国し鼻の皮が日焼けで‥

ケムナ、鼻むけ

下の絵には7つのまちがいがあります。まちがい箇所を全て見つけましょう!

目標時間	3分	見つけた数	個

★左のイラストを憶えて、次ページ下のクイズに答えてね。

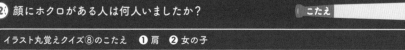

【 イラスト丸覚えクイズ⑨ 】前ページで記憶したイラストの質問です。

①　菊池選手のグローブは何色でしたか?　　こたえ

②　顔にホクロがある人は何人いましたか?　　こたえ

イラスト丸覚えクイズ⑧のこたえ　❶肩　❷女の子

まちがい探し

 7個のまちがいがあります。

少年、カープ選手に憧れている

ナイター、出〜たいな！

下の絵には7つのまちがいがあります。まちがい箇所を全て見つけましょう！

目標時間	3分	見つけた数	個

★左のイラストを憶えて、次ページ下のクイズに答えてね。

【 イラスト丸覚えクイズ⑩ 】 前ページで記憶したイラストの質問です。

1 Tシャツの模様は何でしたか？　こたえ

2 ヤシの木に実は何個ありましたか？　こたえ

イラスト丸覚えクイズ⑨のこたえ　❶赤色　❷1人

20

Carp回文 12

まちがい探し　7個のまちがいがあります。

大瀬良大地投手　勝利

大地、1位だ！

下の絵には7つのまちがいがあります。まちがい箇所を全て見つけましょう！

目標時間	3分	見つけた数	個

★上のイラストを憶えて、次ページ下のクイズに答えてね。

【 イラスト丸覚えクイズ⑪ 】 前ページで記憶したイラストの質問です。

① お母さんが持っている料理は何でしたか？　こたえ

② 男の子が手に持っている物は何でしたか？　こたえ

イラスト丸覚えクイズ⑩のこたえ　❶よこじま　❷2個

Carp回文 13

まちがい探し

7個のまちがいがあります。

小園海斗選手　祭りでイカを食べる

海斗とイカ

下の絵には7つのまちがいがあります。まちがい箇所を全て見つけましょう！

目標時間	3分	見つけた数	個

★上のイラストを憶えて、次ページ下のクイズに答えてね。

【 イラスト丸覚えクイズ⑫ 】 前ページで記憶したイラストの質問です。

- ①1 何号ホームランでしたか？　　こたえ
- ②2 大瀬良投手の手の形は何でしたか？　　こたえ

イラスト丸覚えクイズ⑪のこたえ　❶ サラダ　❷ ボール

デッドボール・・・

かする、許すか

下の絵には7つのまちがいがあります。まちがい箇所を全て見つけましょう！

目標時間	3分	見つけた数	個

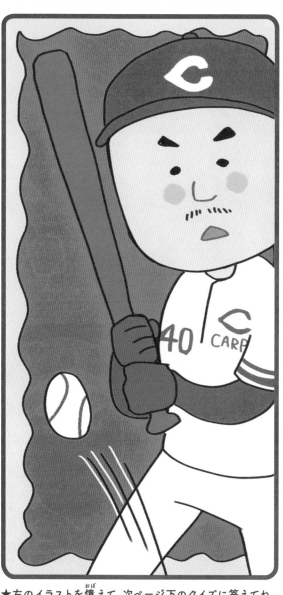

★左のイラストを憶えて、次ページ下のクイズに答えてね。

【 イラスト丸覚えクイズ⑬ 】 前ページで記憶したイラストの質問です。

① 食べてるイカの足の本数は？　　　こたえ

② ユニホームの色は何色でしたか？　こたえ

イラスト丸覚えクイズ⑫のこたえ　❶ 初ホームラン（1号）　❷ グー

九里亜蓮投手が盗塁　しかしコースまちがう
あ　れん　とうるい　い

亜蓮、盗塁！ 異ルート？ ン？ レア！

下の絵には7つのまちがいがあります。まちがい箇所を全て見つけましょう！

目標時間	5分	見つけた数	個

★上のイラストを憶えて、次ページ下のクイズに答えてね。

【 イラスト丸覚えクイズ⑭ 】 前ページで記憶したイラストの質問です。

1. ユニホームの袖の線は何本ありましたか？　こたえ
2. ヒゲはどこにありましたか？　こたえ

イラスト丸覚えクイズ⑬のこたえ　❶4本　❷白色

24

田中広輔選手再び打つ

へー、田中　球また彼方へ

下の絵には7つのまちがいがあります。まちがい箇所を全て見つけましょう！

目標時間	5分	見つけた数	個

★左のイラストを憶えて、次ページ下のクイズに答えてね。

【 イラスト丸覚えクイズ⑮ 】前ページで記憶したイラストの質問です。

❶ 外野を守っている相手チームの人数は？　こたえ

❷ 相手チームの帽子の色は？　こたえ

イラスト丸覚えクイズ⑭のこたえ　❶2本　❷鼻の下

25

新幹線で帰省したの?

そう、帰省で移籍、嘘!

下の絵には7つのまちがいがあります。まちがい箇所を全て見つけましょう!

目標時間	5分	見つけた数	個

★左のイラストを憶えて、次ページ下のクイズに答えてね。

【 イラスト丸覚えクイズ⑯ 】 前ページで記憶したイラストの質問です。

①1 黄色い星(★)は何個ありましたか? こたえ

②2 輪のある星の色は何色でしたか? こたえ

イラスト丸覚えクイズ⑮のこたえ ❶2人 ❷青色

26

まちがい探し

7個のまちがいがあります。

床田投手とタコ

大ダコと食べた床田、おぉ！

下の絵には7つのまちがいがあります。まちがい箇所を全て見つけましょう！

目標時間	8分	見つけた数	個

★上のイラストを憶えて、次ページ下のクイズに答えてね。

【 イラスト丸覚えクイズ⑰ 】 前ページで記憶したイラストの質問です。

①1 ネクタイは何色でしたか？　　こたえ

②2 新幹線の窓は何個ありましたか？　　こたえ

イラスト丸覚えクイズ⑯のこたえ　❶ 11個　❷ 水色

27

アドゥワ誠投手がコマ廻し
誠 とコマ
下の絵には7つのまちがいがあります。まちがい箇所を全て見つけましょう!

目標時間	3分	見つけた数	個

★左のイラストを憶えて、次ページ下のクイズに答えてね。

【 イラスト丸覚えクイズ⑱ 】 前ページで記憶したイラストの質問です。

1 スラィリーが持っていた茶碗の色は？　　　こたえ

2 浮き輪にはいくつ色がありましたか？　　　こたえ

イラスト丸覚えクイズ⑰のこたえ　❶赤色　❷13個

戸田投手の祖父が天才

戸田じいさん、天才児だと！

下の絵には7つのまちがいがあります。まちがい箇所を全て見つけましょう！

目標時間	3分	見つけた数	個

★上のイラストを憶えて、次ページ下のクイズに答えてね。

【 イラスト丸覚えクイズ⑲ 】　前ページで記憶したイラストの質問です。

1　コマは赤・〇・赤。〇は何色でしたか？　こたえ

2　雲は何個ありましたか？　こたえ

イラスト丸覚えクイズ⑱のこたえ　❶青色　❷4色

まちがい探し

7個のまちがいがあります。

佐々岡監督がスクープされる

あれ？佐々岡、顔指され、あ〜！

下の絵には7つのまちがいがあります。まちがい箇所を全て見つけましょう！

目標時間	5分	見つけた数	個

★上のイラストを憶えて、次ページ下のクイズに答えてね。

【 イラスト丸覚えクイズ⑳ 】 前ページで記憶したイラストの質問です。

❶ 黄色の文字は何個ありましたか？　　こたえ

❷ 男の子が着ている服は何色でしたか？　　こたえ

イラスト丸覚えクイズ⑲のこたえ　❶緑色　❷3個

ドラ1森下投手の尻！

1位　森下、尻も1位

下の絵には7つのまちがいがあります。まちがい箇所を全て見つけましょう！

目標時間	5分	見つけた数	個

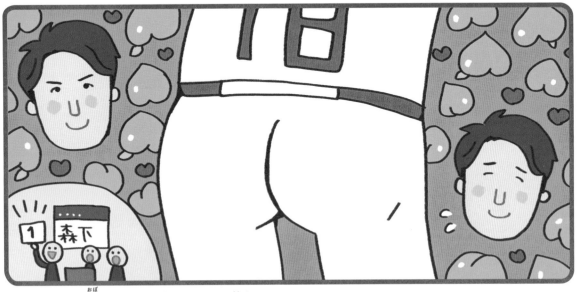

★上のイラストを憶えて、次ページ下のクイズに答えてね。

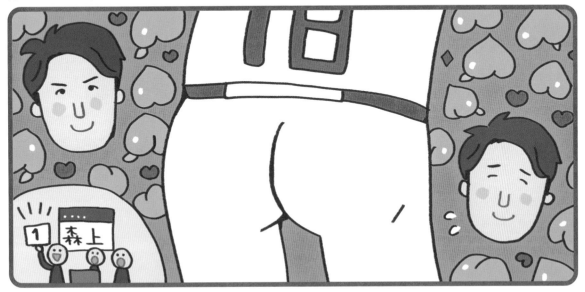

【 イラスト丸覚えクイズ㉑ 】　前ページで記憶したイラストの質問です。

㉑ スタジアムの天気はどうでしたか？　　こたえ

㉒ メガネの形は？　　こたえ

イラスト丸覚えクイズ⑳のこたえ　❶5個　❷赤色

中田投手のファン・佳奈の夢

スキ中田、佳奈キス
なかた かな

下の絵には7つのまちがいがあります。まちがい箇所を全て見つけましょう！

目標時間	5分	見つけた数	個

★上のイラストを憶えて、次ページ下のクイズに答えてね。

【 イラスト丸覚えクイズ㉒ 】 前ページで記憶したイラストの質問です。

1 葉っぱのついた桃は何個ありましたか？ こたえ

2 ボードに書いてある数字は何でしたか？ こたえ

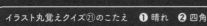
イラスト丸覚えクイズ㉑のこたえ　❶ 晴れ　❷ 四角

強風のフライをやっとのことで捕った外野手

フラフラフライ よたっと捕ったよ! イラ、フラフラ フ～

下の絵には7つのまちがいがあります。まちがい箇所を全て見つけましょう!

目標時間	8分	見つけた数	個

★左のイラストを憶えて、次ページ下のクイズに答えてね。

【 イラスト丸覚えクイズ㉓ 】前ページで記憶したイラストの質問です。

①1 時計は何時でしたか?　こたえ

②2 犬のぬいぐるみが着ているユニホームの色は?　こたえ

イラスト丸覚えクイズ㉒のこたえ　❶5個　❷1

西川龍馬選手　華麗なるジャンプで空に舞う！！

イカす！龍馬！舞う、よりSKY！

下の絵には7つのまちがいがあります。まちがい箇所を全て見つけましょう！

目標時間	5分	見つけた数	個

★左のイラストを憶えて、次ページ下のクイズに答えてね。

【 イラスト丸覚えクイズ㉔ 】前ページで記憶したイラストの質問です。

1 フェンスに書いてある左から3番目の文字は？　こたえ

2 グローブは何色でしたか？　こたえ

イラスト丸覚えクイズ㉓のこたえ　❶3時　❷白色

コーチ、選手との面接があるのに？

開幕1戦目？面接行くまいか？

下の絵には7つのまちがいがあります。まちがい箇所を全て見つけましょう！

目標時間	3分	見つけた数	個

★上のイラストを憶えて、次ページ下のクイズに答えてね。

【 イラスト丸覚えクイズ㉕ 】 前ページで記憶したイラストの質問です。

① 選手の靴は何色でしたか？　こたえ

② 輪がある星は何色でしたか？　こたえ

イラスト丸覚えクイズ㉔のこたえ　❶ キ　❷ 茶色

長野選手　打席で燃えている

カッカ! 長野、脳予知、勝つか?

下の絵には7つのまちがいがあります。まちがい箇所を全て見つけましょう!

目標時間	5分	見つけた数	個

★左のイラストを憶えて、次ページ下のクイズに答えてね。

【 イラスト丸覚えクイズ㉖ 】前ページで記憶したイラストの質問です。

①半袖の人は何人いましたか?　こたえ

②椅子に座っている人のズボンは何色でしたか?　こたえ

イラスト丸覚えクイズ㉕のこたえ　❶黒色　❷赤色

岡田投手のファン
好き、岡田。顔、キス
下の絵には7つのまちがいがあります。まちがい箇所を全て見つけましょう！

目標時間	5分	見つけた数	個

★上のイラストを憶えて、次ページ下のクイズに答えてね。

【 イラスト丸覚えクイズ㉗ 】前ページで記憶したイラストの質問です。

①: アンダーシャツは長袖でしたか？ 半袖でしたか？　こたえ
②: 打者のヒゲは何本ありましたか？　こたえ

イラスト丸覚えクイズ㉖のこたえ　❶3人　❷グレー

上本崇司選手の見事な走塁に　あきらめる相手チーム

いーな、崇司。仕方なーい

下の絵には7つのまちがいがあります。まちがい箇所を全て見つけましょう！

目標時間	3分	見つけた数	個

★上のイラストを憶えて、次ページ下のクイズに答えてね。

【 イラスト丸覚えクイズ㉘ 】 前ページで記憶したイラストの質問です。

1: 左から4番目のタコ宇宙人の色は？　　　　こたえ

2: 黄色い星は何個ありましたか？　　　　こたえ

イラスト丸覚えクイズ㉗のこたえ　❶ 長袖　❷ 4本

外野手のボーンヘッド

痛！ ミスや、休みたい

下の絵には7つのまちがいがあります。まちがい箇所を全て見つけましょう！

目標時間	3分	見つけた数	個

★上のイラストを憶えて、次ページ下のクイズに答えてね。

【 イラスト丸覚えクイズ㉙ 】 前ページで記憶したイラストの質問です。

❶ 審判の判定は何でしたか？　こたえ

❷ 相手チームの背景は何色でしたか？　こたえ

イラスト丸覚えクイズ㉘のこたえ　❶ オレンジ色　❷ 8個

高速でお茶を摘んでいる鈴木誠也選手

神ってる！手摘みか！？

下の絵には7つのまちがいがあります。まちがい箇所を全て見つけましょう！

目標時間	3分	見つけた数	個

★上のイラストを憶えて、次ページ下のクイズに答えてね。

【 イラスト丸覚えクイズ㉚ 】 前ページで記憶したイラストの質問です。

1️⃣ 相手チームのユニフォームは何色でしたか？　こたえ

2️⃣ スラィリーになぐさめられているのは誰でしたか？　こたえ

40

股間すれすれに決まるストライク

三振か、股のあの球、感心さ

下の絵には7つのまちがいがあります。まちがい箇所を全て見つけましょう！

目標時間	5分	見つけた数	個

★上のイラストを憶えて、次ページ下のクイズに答えてね。

【 イラスト丸覚えクイズ㉛ 】 前ページで記憶したイラストの質問です。

1 飛んでいる鳥は何羽でしたか？ こたえ

2 肩の紐は赤色でしたが、帯は何色でしたか？ こたえ

イラスト丸覚えクイズ㉚のこたえ　❶ 黄緑色　❷ カープ坊や

まちがい探し 7個のまちがいがあります。

奥様が現れて
私、代打したわ
下の絵には7つのまちがいがあります。まちがい箇所を全て見つけましょう！

目標時間	5分	見つけた数	個

★上のイラストを憶えて、次ページ下のクイズに答えてね。

【 イラスト丸覚えクイズ㉜ 】 前ページで記憶したイラストの質問です。

①応援バットを持っている人は何人いましたか？　　こたえ

②メガネをかけている人は何人いましたか？　　こたえ

イラスト丸覚えクイズ㉛のこたえ　❶3羽　❷黄色

快進撃！

パッと、突破！

下の絵には7つのまちがいがあります。まちがい箇所を全て見つけましょう！

目標時間	5分	見つけた数	個

★左のイラストを憶えて、次ページ下のクイズに答えてね。

【 イラスト丸覚えクイズ㉝ 】 前ページで記憶したイラストの質問です。

❶ お花はいくつありましたか？　こたえ

❷ 選手が持っているバットはどうなっていましたか？　こたえ

イラスト丸覚えクイズ㉜のこたえ　❶2人　❷1人

電車の中で寝る選手たち

GOOD! ウトウトしだし とうとう グー

下の絵には7つのまちがいがあります。まちがい箇所を全て見つけましょう！

目標時間	3分	見つけた数	個

★上のイラストを憶えて、次ページ下のクイズに答えてね。

【 イラスト丸覚えクイズ㉞ 】 前ページで記憶したイラストの質問です。

①. 何人の選手で胴上げをしていましたか？　こたえ

②. 曽根選手の帽子に付いていたのは何色の紙吹雪でしたか？　こたえ

イラスト丸覚えクイズ㉝のこたえ　❶8つ　❷折れている

アナウンサー 絶叫

断トツ 飛んだ！

下の絵には7つのまちがいがあります。まちがい箇所を全て見つけましょう！

目標時間	5分	見つけた数	個

★上のイラストを憶えて、次ページ下のクイズに答えてね。

【 イラスト丸覚えクイズ㉟ 】 前ページで記憶したイラストの質問です。

①1 おにぎりは何個ありましたか？　　こたえ

②2 駅名は何と書いてありましたか？　　こたえ

イラスト丸覚えクイズ㉞のこたえ　❶7人　❷緑色

45

厳しい内角攻めでも余裕

内角かいな
ないかく

下の絵には7つのまちがいがあります。まちがい箇所(かしょ)を全て見つけましょう！

目標時間	5分	見つけた数	個

★左のイラストを憶(おぼ)えて、次ページ下のクイズに答えてね。

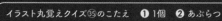

【 イラスト丸覚えクイズ㊱ 】 前ページで記憶したイラストの質問です。

1 茶色の服を着ている人は何人いましたか？　　こたえ

2 ボールをキャッチした手はどちらでしたか？　　こたえ

イラスト丸覚えクイズ㉟のこたえ　❶1個　❷あぶらっ

戸田投手との会話
「軽めの球、頼めるか?」

下の絵には7つのまちがいがあります。まちがい箇所を全て見つけましょう!

目標時間	5分	見つけた数	個

★上のイラストを憶えて、次ページ下のクイズに答えてね。

【 イラスト丸覚えクイズ㊲ 】 前ページで記憶したイラストの質問です。

1. 寝ている人は何人いましたか?　　こたえ

2. 寝ている人が持っているのは何でしたか?　　こたえ

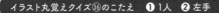

イラスト丸覚えクイズ㊱のこたえ　❶1人　❷左手

Carp回文 39	まちがい探し	7個のまちがいがあります。

オナラしたのダレ？

わいなわいな、言わないわ

下の絵には7つのまちがいがあります。まちがい箇所を全て見つけましょう！

目標時間	5分	見つけた数	個

★上のイラストを憶えて、次ページ下のクイズに答えてね。

【 イラスト丸覚えクイズ㊳ 】前ページで記憶したイラストの質問です。

①キャッチャーは何人いましたか？　　こたえ

②帽子を手に持っている人は何人いましたか？　　こたえ

イラスト丸覚えクイズ㊲のこたえ　❶1人　❷バット

48

Carp回文 40

まちがい探し

7個のまちがいがあります。

中崎劇場　見事抑える

三振アウト、う！安心さ

下の絵には7つのまちがいがあります。まちがい箇所を全て見つけましょう！

目標時間	5分	見つけた数	個

★上のイラストを憶えて、次ページ下のクイズに答えてね。

【 イラスト丸覚えクイズ㊾ 】 前ページで記憶したイラストの質問です。

1 何をしてオナラをごまかしていましたか？ こたえ

2 ヒゲがない選手は何人いましたか？ こたえ

イラスト丸覚えクイズ㊳のこたえ　❶5人　❷1人

小窪選手のタイトルを喜ぶ少年

小窪のタイトルといたの、ボク、子

下の絵には7つのまちがいがあります。まちがい箇所を全て見つけましょう！

目標時間	5分	見つけた数	個

★上のイラストを憶えて、次ページ下のクイズに答えてね。

【 イラスト丸覚えクイズ㊵ 】前ページで記憶したイラストの質問です。

① 動物は何種類いましたか？　　こたえ

② 黄色い動物の種類は何でしたか？　　こたえ

イラスト丸覚えクイズ㊴のこたえ　❶口笛　❷3人

スラィリーデッドボール　投手に一言文句

痛ーい、かする、許すか？ 言ーたい！

下の絵には7つのまちがいがあります。まちがい箇所を全て見つけましょう！

目標時間	3分	見つけた数	個

★上のイラストを憶えて、次ページ下のクイズに答えてね。

【 イラスト丸覚えクイズ㊶ 】　前ページで記憶したイラストの質問です。

❶ ハートは何個ありましたか？　　　こたえ

❷ メガネは何色でしたか？　　　こたえ

イラスト丸覚えクイズ㊵のこたえ　❶ 3種類　❷ ひよこ（鳥）

レモンをかじる大盛選手

レモン盛れ

下の絵には7つのまちがいがあります。まちがい箇所を全て見つけましょう!

| 目標時間 | 3分 | 見つけた数 | 個 |

★上のイラストを憶えて、次ページ下のクイズに答えてね。

【 イラスト丸覚えクイズ㊷ 】 前ページで記憶したイラストの質問です。

1 ボールはどこに当たっていましたか？　こたえ

2 スラィリーの手は何色でしたか？　こたえ

イラスト丸覚えクイズ㊶のこたえ　❶11個　❷水色

眠そうな曽根選手

曽根。寝そ〜

下の絵には7つのまちがいがあります。まちがい箇所を全て見つけましょう！

目標時間	3分	見つけた数	個

★左のイラストを憶えて、次ページ下のクイズに答えてね。

【 イラスト丸覚えクイズ㊸ 】 前ページで記憶したイラストの質問です。

1 お皿は何枚ありましたか？　　こたえ

2 お皿に乗っているからあげは何個でしたか？　　こたえ

イラスト丸覚えクイズ㊷のこたえ　❶ スラィリーのおなか　❷ 黄緑色

敵地で戦うカープ

鯉、敵地来て、いこー！！

下の絵には7つのまちがいがあります。まちがい箇所を全て見つけましょう！

目標時間	3分	見つけた数	個

★左のイラストを憶えて、次ページ下のクイズに答えてね。

【 イラスト丸覚えクイズ㊹ 】前ページで記憶したイラストの質問です。

①　えんぴつは何本ありましたか？　　　　　　　こたえ

②　タオルは何色でしたか？　　　　　　　　　　こたえ

イラスト丸覚えクイズ㊸のこたえ　❶3枚　❷3個

三好選手　読書
みよし

三好、読み

下の絵には7つのまちがいがあります。まちがい箇所を全て見つけましょう！

目標時間	3分	見つけた数	個

★上のイラストを憶えて、次ページ下のクイズに答えてね。

【 イラスト丸覚えクイズ㊺ 】 前ページで記憶したイラストの質問です。

❶ 黄色のウロコは何枚ありましたか？　　こたえ

❷ コイの体は赤色です。ヒゲは何色でしたか？　　こたえ

イラスト丸覚えクイズ㊹のこたえ　❶1本　❷黄色

中田投手のアイドル写真を見つけて

中田、見たかな?

下の絵には7つのまちがいがあります。まちがい箇所を全て見つけましょう!

目標時間	3分	見つけた数	個

★左のイラストを憶えて、次ページ下のクイズに答えてね。

【 イラスト丸覚えクイズ㊻ 】前ページで記憶したイラストの質問です。

1 本に描いてあるブドウの実は何粒でしたか?　こたえ

2 何色の服を着ていましたか?　こたえ

イラスト丸覚えクイズ㊺のこたえ ❶ 10枚 ❷ 白色

廣瀬コーチのサイン

サイン? 夏まで待つな! ん? いーさ

下の絵には7つのまちがいがあります。まちがい箇所を全て見つけましょう!

目標時間	3分	見つけた数	個

★左のイラストを憶えて、次ページ下のクイズに答えてね。

【 イラスト丸覚えクイズ㊼ 】 前ページで記憶したイラストの質問です。

①1 頬が赤い選手は何人いましたか?　　こたえ

②2 ボールを持っている選手は何人いましたか?　　こたえ

イラスト丸覚えクイズ㊻のこたえ　❶6粒　❷赤色

まちがい探し

7個のまちがいがあります。

高橋樹也投手が悪いヤツに怒る

怒るわ、樹也「君、悪かい?」

下の絵には7つのまちがいがあります。まちがい箇所を全て見つけましょう!

目標時間	5分	見つけた数	個

★上のイラストを憶えて、次ページ下のクイズに答えてね。

【 イラスト丸覚えクイズ㊽ 】 前ページで記憶したイラストの質問です。

①: 涙を流している人は何人いましたか? こたえ

②: コーチの持っているペンは何色でしたか? こたえ

イラスト丸覚えクイズ㊼のこたえ ❶2人 ❷1人

打てない打者
悩みやな、闇やな

下の絵には7つのまちがいがあります。まちがい箇所を全て見つけましょう！

目標時間	5分	見つけた数	個

★上のイラストを憶えて、次ページ下のクイズに答えてね。

【 イラスト丸覚えクイズ㊾ 】前ページで記憶したイラストの質問です。

❶ 悪魔の耳はどんな形でしたか？　　こたえ

❷ 白いユニホームは長袖？　それとも半袖？　　こたえ

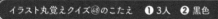
イラスト丸覚えクイズ㊽のこたえ　❶3人　❷黒色

會澤翼選手　休憩中にクッキーを…

慌てて、わぁ！
(あわ)

下の絵には7つのまちがいがあります。まちがい箇所を全て見つけましょう！

目標時間	5分	見つけた数	個

★上のイラストを憶えて、次ページ下のクイズに答えてね。
(おぼ)

【 イラスト丸覚えクイズ㊿ 】前ページで記憶したイラストの質問です。

1 おなかいっぱい食べた果物は何でしたか？　　こたえ

2 ソックスは何色でしたか？　　こたえ

イラスト丸覚えクイズ㊾のこたえ　❶三角（矢印）　❷半袖

まちがい探し

7個のまちがいがあります。

股間にボール たまたまと謝る山口投手

また、股！ たまたま

下の絵には7つのまちがいがあります。まちがい箇所を全て見つけましょう！

目標時間	5分	見つけた数	個

★上のイラストを憶えて、次ページ下のクイズに答えてね。

【 イラスト丸覚えクイズ(51) 】 前ページで記憶したイラストの質問です。

① 帽子の形をしたクッキーは何個ありましたか？ こたえ

② エプロンに描いてあるピンクの柄は何でしたか？ こたえ

イラスト丸覚えクイズ(50)のこたえ ❶ バナナ ❷ 赤色

メナ選手とミカン

なめたいな。ミカン噛み、泣いたメナ

下の絵には7つのまちがいがあります。まちがい箇所を全て見つけましょう!

目標時間	5分	見つけた数	個

★左のイラストを憶えて、次ページ下のクイズに答えてね。

【 イラスト丸覚えクイズ㊷ 】前ページで記憶したイラストの質問です。

①1 黒のグローブをしている選手は右側? 左側?　　こたえ

②2 ボールを取れなかった選手の背番号は?　　こたえ

イラスト丸覚えクイズ㊶のこたえ　❶1個　❷ハート

まちがい探し

7個のまちがいがあります。

暗い雰囲気の東京ドーム

ドーム、『以後5位』ムード

下の絵には7つのまちがいがあります。まちがい箇所を全て見つけましょう!

目標時間	8分	見つけた数	個

★左のイラストを憶えて、次ページ下のクイズに答えてね。

【 イラスト丸覚えクイズ㊼ 】 前ページで記憶したイラストの質問です。

⑴ うしろにいる選手の背番号は? 〔こたえ 〕

⑵ ミカンを食べてどんな表情をしていましたか? 〔こたえ 〕

イラスト丸覚えクイズ㊼のこたえ ❶左側 ❷66番

まちがい探し

7個のまちがいがあります。

薮田和樹投手はキス魔?

和樹、キス好き?! 傷か?

下の絵には7つのまちがいがあります。まちがい箇所を全て見つけましょう!

目標時間	5分	見つけた数	個

★上のイラストを憶えて、次ページ下のクイズに答えてね。

【イラスト丸覚えクイズ(54)】 前ページで記憶したイラストの質問です。

1 夢を見ているのはカープ坊や? スラィリー? こたえ

2 帽子で目が隠れている選手の背番号は? こたえ

イラスト丸覚えクイズ(53)のこたえ ❶98番 ❷泣いている

まちがい探し　7個のまちがいがあります。

佐々岡監督？の顔にいたずら

なし、顔（かお）。おかしーな

下の絵には7つのまちがいがあります。まちがい箇所（かしょ）を全て見つけましょう！

目標時間	3分	見つけた数	個

★上のイラストを憶（おぼ）えて、次ページ下のクイズに答えてね。

【イラスト丸覚えクイズ(55)】前ページで記憶したイラストの質問です。

① キスしようとしていたのはどんな動物でしたか？　こたえ

② 帽子は何個ありましたか？　こたえ

イラスト丸覚えクイズ(54)のこたえ　❶ カープ坊や　❷ 7番

まちがい探し 7個のまちがいがあります。

Carp回文 57

クリス・ジョンソン投手　バッターに投げずに口笛、曾澤選手が

投げたげな・・・

下の絵には7つのまちがいがあります。まちがい箇所を全て見つけましょう!

| 目標時間 | 5分 | 見つけた数 | 個 |

★上のイラストを憶えて、次ページ下のクイズに答えてね。

【 イラスト丸覚えクイズ㊱ 】 前ページで記憶したイラストの質問です。

1: ジュースは何種類ありましたか？　こたえ

2: ポスターは何枚貼ってありましたか？　こたえ

イラスト丸覚えクイズ㉟のこたえ　❶犬　❷3個

66

まちがい探し

7個のまちがいがあります。

菊池涼介選手が隠し玉　相手選手まだ探している

隠し球、まだSEEKか？

※SEEK＝捜し求める

下の絵には7つのまちがいがあります。まちがい箇所を全て見つけましょう！

目標時間	3分	見つけた数	個

★上のイラストを憶えて、次ページ下のクイズに答えてね。

【イラスト丸覚えクイズ(57)】前ページで記憶したイラストの質問です。

1 ？マークは何個ありましたか？　こたえ

2 相手チームのユニホームは何色でしたか？　こたえ

イラスト丸覚えクイズ(56)のこたえ　❶4種類　❷1枚

堅江投手　私服でカッコよく襟を立てている

堅江の襟、HOOOOーーー！

下の絵には7つのまちがいがあります。まちがい箇所を全て見つけましょう！

目標時間	3分	見つけた数	個

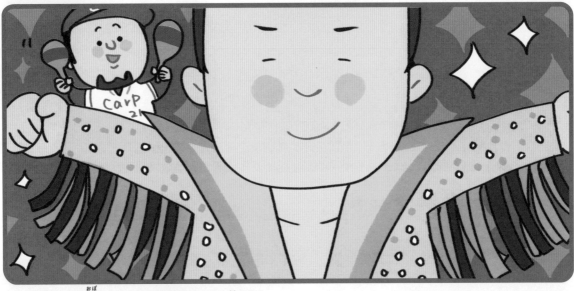

★上のイラストを憶えて、次ページ下のクイズに答えてね。

【 イラスト丸覚えクイズ㊸ 】 前ページで記憶したイラストの質問です。

① 相手チームのユニホームの柄は何でしたか？　こたえ

② 赤ちゃんのおしゃぶりは何色でしたか？　こたえ

イラスト丸覚えクイズ㊷のこたえ　❶5個　❷青色

横山コーチ　釣った鯛に噛まれる

痛たたたたた、たたたた、鯛！

下の絵には7つのまちがいがあります。まちがい箇所を全て見つけましょう！

目標時間	3分	見つけた数	個

★上のイラストを憶えて、次ページ下のクイズに答えてね。

【 イラスト丸覚えクイズ59 】 前ページで記憶したイラストの質問です。

①1 ユニホームを着た選手が持っている楽器は何でしたか？　こたえ

②2 ジャケットの襟は黄色と何色でしたか？　こたえ

イラスト丸覚えクイズ58のこたえ　❶ たてじま　❷ 黄色

スコット投手がサインを見て・・・

駆（か）け引（ひ）き、引（ひ）けか

下の絵には7つのまちがいがあります。まちがい箇所（かしょ）を全て見つけましょう！

目標時間	5分	見つけた数	個

★上のイラストを憶（おぼ）えて、次ページ下のクイズに答えてね。

【 イラスト丸覚えクイズ60 】前ページで記憶したイラストの質問です。

①　どこを噛まれていましたか？　　こたえ

②　釣り針が向いている方向は上？ それとも下？　　こたえ

イラスト丸覚えクイズ59のこたえ　❶ マラカス　❷ オレンジ色

70

横山コーチ　マウンドへ

タイムです！出向（でむ）いた

下の絵には7つのまちがいがあります。まちがい箇所（かしょ）を全て見つけましょう！

目標時間	3分	見つけた数	個

★左のイラストを憶（おぼ）えて、次ページ下のクイズに答えてね。

【 イラスト丸覚えクイズ㊶ 】 前ページで記憶したイラストの質問です。

①1 ！マークは何個ありましたか？ こたえ

②2 ピッチャーの髪の毛は何色でしたか？ こたえ

イラスト丸覚えクイズ㊵のこたえ ❶手 ❷上

まちがい探し

7個のまちがいがあります。

ピレラ選手　お好み焼きを食べて満足

試した・・・しめた！

下の絵には7つのまちがいがあります。まちがい箇所を全て見つけましょう！

目標時間	5分	見つけた数	個

★上のイラストを憶えて、次ページ下のクイズに答えてね。

【 イラスト丸覚えクイズ㉒ 】 前ページで記憶したイラストの質問です。

1. 審判はどんなポーズをしていましたか？　こたえ

2. 赤い帽子をかぶっている人は何人いましたか？　こたえ

イラスト丸覚えクイズ㉑のこたえ　❶1個　❷茶色

首脳陣　緊急ミーティング
徹夜でやって！

下の絵には7つのまちがいがあります。まちがい箇所を全て見つけましょう！

目標時間	5分	見つけた数		個

★上のイラストを憶えて、次ページ下のクイズに答えてね。

【 イラスト丸覚えクイズ㊿ 】 前ページで記憶したイラストの質問です。

❶ 何を使ってお好み焼きを食べていましたか？　 こたえ

❷ 水の入ったコップは何個ありましたか？　 こたえ

イラスト丸覚えクイズ㊿のこたえ　❶ バンザイ　❷ 2人

チーム全体で反省

再戦は、反省さ

下の絵には7つのまちがいがあります。まちがい箇所を全て見つけましょう！

目標時間	8分	見つけた数	個

★上のイラストを憶えて、次ページ下のクイズに答えてね。

【 イラスト丸覚えクイズ㉔ 】前ページで記憶したイラストの質問です。

1 日付は何月何日でしたか？　こたえ

2 プレゼントは何袋ありましたか？　こたえ

イラスト丸覚えクイズ㉓のこたえ　❶ ヘラ　❷ 1個

夢を見ている堂林選手　そこに奥様が現れて

嫁さ、目、覚めよ

下の絵には7つのまちがいがあります。まちがい箇所を全て見つけましょう！

目標時間	8分	見つけた数	個

★上のイラストを憶えて、次ページ下のクイズに答えてね。

【 イラスト丸覚えクイズ㉕ 】 前ページで記憶したイラストの質問です。

① 手袋は何色でしたか？　こたえ

② 59番の選手が手に持っている物は何でしたか？　こたえ

イラスト丸覚えクイズ㉔のこたえ　❶8月26日　❷3袋

応援団がテレビ出演で照れている

歓声よ、語れ、照れたか、良い戦果

下の絵には7つのまちがいがあります。まちがい箇所を全て見つけましょう！

目標時間	3分	見つけた数	個

★上のイラストを憶えて、次ページ下のクイズに答えてね。

【 イラスト丸覚えクイズ66 】 前ページで記憶したイラストの質問です。

1. スラィリーは何から出てきましたか？　　こたえ

2. 目覚まし時計は何色でしたか？　　こたえ

イラスト丸覚えクイズ65のこたえ　❶黒色　❷ボール

実況アナウンサーがそっとトイレに

さりげなや、やな下痢さ

下の絵には7つのまちがいがあります。まちがい箇所(かしょ)を全て見つけましょう！

| 目標時間 | 5分 | 見つけた数 | 個 |

★上のイラストを憶(おぼ)えて、次ページ下のクイズに答えてね。

【 **イラスト丸覚えクイズ㊿** 】 前ページで記憶したイラストの質問です。

1 女の子が持っている楽器は何でしたか？ こたえ

2 ハチマキには何と書いてありましたか？ こたえ

イラスト丸覚えクイズ㊿のこたえ ❶ ランプ ❷ 赤色

高コーチのサインを2度見する西川選手

2回は、いかに？

下の絵には7つのまちがいがあります。まちがい箇所を全て見つけましょう！

目標時間	3分	見つけた数	個

★左のイラストを憶えて、次ページ下のクイズに答えてね。

【 イラスト丸覚えクイズ68 】前ページで記憶したイラストの質問です。

①1 瓶の中に薬は何粒入っていましたか？　　こたえ

②2 植木鉢は何色でしたか？　　こたえ

イラスト丸覚えクイズ67のこたえ　❶太鼓　❷CARP

横山コーチ、釣りで山菜が！ 鍋にしたら解散

山菜か、鍋食べな、解散さ

下の絵には7つのまちがいがあります。まちがい箇所を全て見つけましょう！

目標時間	5分	見つけた数	個

★上のイラストを憶えて、次ページ下のクイズに答えてね。

【 イラスト丸覚えクイズ69 】 前ページで記憶したイラストの質問です。

➊ メガネをかけていないファンは何人いましたか？　こたえ

➋ C（大文字）の文字は何個ありましたか？　こたえ

イラスト丸覚えクイズ68のこたえ　➊9粒　➋茶色

Carp回文 71　まちがい探し　7個のまちがいがあります。

負けた敵チーム

悪い負け！ ケッ、まいるわ

下の絵には7つのまちがいがあります。まちがい箇所を全て見つけましょう！

目標時間	8分	見つけた数	個

★上のイラストを憶えて、次ページ下のクイズに答えてね。

【 イラスト丸覚えクイズ⑦ 】 前ページで記憶したイラストの質問です。

1 豆腐は何個ありましたか？　　こたえ

2 鳥は何羽飛んでいましたか？　　こたえ

イラスト丸覚えクイズ⑥のこたえ　❶2人　❷6個

80

応援団　鯉の巨大ジェット風船を使用

いかつい鯉使い（こいつか）

下の絵には7つのまちがいがあります。まちがい箇所を全て見つけましょう！

目標時間	3分	見つけた数		個

★左のイラストを憶えて、次ページ下のクイズに答えてね。

【 イラスト丸覚えクイズ㋖ 】 前ページで記憶したイラストの質問です。

① バケツを持っている人は何人でしたか？　こたえ

② 相手チームの帽子は何色でしたか？　こたえ

イラスト丸覚えクイズ㋕のこたえ　❶3個　❷4羽

3回、先取点
快感さ、3回か?!

下の絵には7つのまちがいがあります。まちがい箇所を全て見つけましょう!

目標時間	3分	見つけた数	個

★上のイラストを憶えて、次ページ下のクイズに答えてね。

【 イラスト丸覚えクイズ⑫ 】前ページで記憶したイラストの質問です。

1 コイは何の中に描かれていましたか?　こたえ

2 帽子を後ろ向きにかぶっている人は何人いましたか?　こたえ

イラスト丸覚えクイズ⑪のこたえ　❶1人　❷オレンジ色

超硬いグローブ　泣く

な、硬いな！ 泣いたかな

下の絵には7つのまちがいがあります。まちがい箇所を全て見つけましょう！

目標時間	3分	見つけた数	個

★上のイラストを憶えて、次ページ下のクイズに答えてね。

【 イラスト丸覚えクイズ㉝ 】 前ページで記憶したイラストの質問です。

①　スコアボードは何点入っていましたか？　こたえ

②　応援バットを持っていないファンは何人でしたか？　こたえ

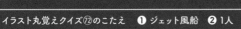
イラスト丸覚えクイズ㉜のこたえ　❶ ジェット風船　❷1人

マジック点灯中の大決戦！

決めろ！いよいよ色めき！

下の絵には7つのまちがいがあります。まちがい箇所を全て見つけましょう！

目標時間	5分	見つけた数	個

★上のイラストを憶えて、次ページ下のクイズに答えてね。

【 イラスト丸覚えクイズ⑭ 】前ページで記憶したイラストの質問です。

①　泣いているのは誰でしたか？　　こたえ

②　何色のグローブをはめていましたか？　　こたえ

イラスト丸覚えクイズ⑬のこたえ　❶1点　❷2人

勝てばシーズン最下位はなし　占い好きな友人が首位再び独走を予言

最下位さようなら! 占うよ! 再開さ!

下の絵には7つのまちがいがあります。まちがい箇所を全て見つけましょう!

目標時間	5分	見つけた数	個

★上のイラストを憶えて、次ページ下のクイズに答えてね。

【 イラスト丸覚えクイズ㊄ 】前ページで記憶したイラストの質問です。

① バットを持っている人は何人いましたか?　こたえ

② 外国人選手は何人いましたか?　こたえ

イラスト丸覚えクイズ㊔のこたえ　❶ スラィリー　❷ グレー(灰色)

絶好調の松山選手の打席

どうも！痛打だ！打つモード

下の絵には7つのまちがいがあります。まちがい箇所を全て見つけましょう！

目標時間	5分	見つけた数	個

★左のイラストを憶えて、次ページ下のクイズに答えてね。

【 イラスト丸覚えクイズ⑦⑥ 】前ページで記憶したイラストの質問です。

① 枝豆は何円でしたか？　こたえ

② 350円の料理は何でしたか？　こたえ

イラスト丸覚えクイズ⑦⑤のこたえ　❶3人　❷1人

まちがい探し

7個のまちがいがあります。

打者のボールが石原慶幸選手の股間に…

痛恨！●んこ、打つ！

下の絵には7つのまちがいがあります。まちがい箇所を全て見つけましょう！

目標時間	5分	見つけた数	個

★上のイラストを憶えて、次ページ下のクイズに答えてね。

【 イラスト丸覚えクイズ⑰ 】前ページで記憶したイラストの質問です。

①1 応援プレートの文字は何色でしたか？　こたえ

②2 バットの上部分は何色でしたか？　こたえ

イラスト丸覚えクイズ⑯のこたえ　❶200円　❷からあげ

87

炎のストッパー津田投手の奪三振劇
だっさんしん かんしん つだ
奪三振、感心さ、津田

下の絵には7つのまちがいがあります。まちがい箇所を全て見つけましょう！

目標時間	5分	見つけた数	個

★左のイラストを憶えて、次ページ下のクイズに答えてね。

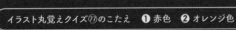

【 イラスト丸覚えクイズ㊲ 】 前ページで記憶したイラストの質問です。

①1 痛がっている人のポジションはどこでしたか？   こたえ

②2 見守っている選手は何人いましたか？   こたえ

イラスト丸覚えクイズ㊲のこたえ　❶赤色　❷オレンジ色

88

曾澤翼選手　タイトル獲って現れる

翼、タイトル獲るといたさ、バッ！

下の絵には7つのまちがいがあります。まちがい箇所を全て見つけましょう！

目標時間	5分	見つけた数	個

★上のイラストを憶えて、次ページ下のクイズに答えてね。

【 イラスト丸覚えクイズ⑲ 】前ページで記憶したイラストの質問です。

①　口を開けた人は何人いましたか？　　こたえ

②　「CARP」ロゴのフチは何色でしたか？　　こたえ

イラスト丸覚えクイズ⑱のこたえ　❶キャッチャー　❷2人

Carp回文
1

Carp回文
2

Carp回文
3

Carp回文
4

Carp回文
5

Carp回文
6

Carp回文
7

Carp回文
8

Carp回文
9

Carp回文
10

【 イラスト丸覚えクイズ⑳ 】 前ページで記憶したイラストの質問です。

1 手の形はグー？チョキ？パー？ こたえ

2 カップに巻いてあったリボンは何色でしたか？ こたえ

イラスト丸覚えクイズ㉙のこたえ **1** 4人 **2** 黒色

90

Carp回文
11

Carp回文
12

Carp回文
13

Carp回文
14

Carp回文
15

Carp回文
16

Carp回文
17
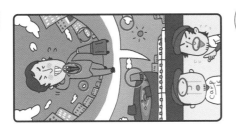

Carp回文
18

Carp回文
19

Carp回文
20

Carp回文
21

Carp回文
22

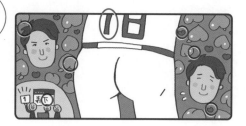

Carp回文
23

Carp回文
24

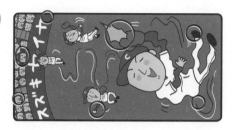

Carp回文
25

Carp回文
26

Carp回文
27

Carp回文
28

Carp回文
29

Carp回文
30

Carp回文
52

Carp回文
53

Carp回文
54

Carp回文
55

Carp回文
56

Carp回文
57

Carp回文
58

Carp回文
59

Carp回文
60

Carp回文
61

Carp回文
62

Carp回文
63

Carp回文
64

Carp回文
65

Carp回文
66

Carp回文
67

Carp回文
68

Carp回文
69

Carp回文
70